中国工程建设协会标准

复合β晶型无规共聚聚丙烯 (NFPP-RCT)管道工程技术规程

Technical specification for composite beta crystalline polypropylene random copolymer(NFPP-RCT) pipeline engineering

CECS 414：2015

主编单位：中国建筑标准设计研究院有限公司
　　　　　上海瑞河企业集团有限公司
批准单位：中国工程建设标准化协会
施行日期：２０１５年１２月１日

中国计划出版社

2015　北　京

中国工程建设协会标准

复合β晶型无规共聚聚丙烯
(NFPP-RCT)管道工程技术规程

CECS 414：2015

☆

中国计划出版社出版

网址：www.jhpress.com

地址：北京市西城区木樨地北里甲11号国宏大厦C座3层
邮政编码：100038　电话：(010)63906433(发行部)
新华书店北京发行所发行
廊坊市海涛印刷有限公司印刷

850mm×1168mm　1/32　1.75印张　41千字
2015年11月第1版　2015年11月第1次印刷
印数1—3080册

☆

统一书号：1580242·809
定价：21.00元

版权所有　侵权必究

侵权举报电话：(010)63906404
如有印装质量问题，请寄本社出版部调换

中国工程建设标准化协会公告

第217号

关于发布《复合β晶型无规共聚聚丙烯（NFPP-RCT）管道工程技术规程》的公告

根据中国工程建设标准化协会《关于印发〈2013年第二批工程建设协会标准制订、修订计划〉的通知》（建标协字〔2013〕119号）的要求，由中国建筑标准设计研究院有限公司、上海瑞河企业集团有限公司等单位编制的《复合β晶型无规共聚聚丙（NFPP-RCT）管道工程技术规程》，经本协会建筑给水排水专业委员会组织审查，现批准发布，编号为CECS 414：2015，自2015年12月1日起施行。

中国工程建设标准化协会
二〇一五年九月十四日

前　言

根据中国工程建设标准化协会《关于印发〈2013年第二批工程建设协会标准制订、修订计划〉的通知》(建标协字〔2013〕119号)的要求，规程编制组在认真总结工程实践经验，参考有关国外先进标准，并充分征求意见的基础上，制定本规程。

本规程共分为6章。主要技术内容包括：总则、术语、管材与管件、设计、施工、检验与验收。

本规程由中国工程建设标准化协会建筑给水排水专业委员会归口管理，由中国建筑标准设计研究院有限公司（地址：北京市海淀区首体南路9号主语国际2号楼，邮编100048）负责解释。在使用过程中如有需要修改或补充之处，请将意见和有关资料寄送解释单位。

主 编 单 位：中国建筑标准设计研究院有限公司
　　　　　　上海瑞河企业集团有限公司
参 编 单 位：山东省建筑设计研究院
　　　　　　天津军星管业集团有限公司
　　　　　　山东金潮新型建材有限公司
　　　　　　潍坊派康塑料科技有限公司
　　　　　　成都凯撒铝业有限公司
　　　　　　天津金鹏管业有限公司
　　　　　　安徽佑逸管业有限公司
主要起草人：吕静刚　刘洪令　刘志光　何建华　蓝玉丰
　　　　　　吴晓芬　廖志巧　刘树远　代占文　臧金友
　　　　　　周少杰　羡敬红　刘炜
主要审查人：左亚洲　曾　捷　王冠军　赵继豪　王　锋
　　　　　　郑克白　杜建强　杨政忠　孔祥瑞

目 次

1 总 则 ……………………………………………………（1）
2 术 语 ……………………………………………………（2）
3 管材与管件 ………………………………………………（3）
　3.1 一般规定 ……………………………………………（3）
　3.2 原材料 ………………………………………………（3）
　3.3 管材与管件 …………………………………………（5）
4 设 计 ……………………………………………………（14）
　4.1 一般规定 ……………………………………………（14）
　4.2 管道布置与敷设 ……………………………………（15）
　4.3 管道变形计算 ………………………………………（17）
　4.4 管道水力计算 ………………………………………（20）
　4.5 管道保温与隔热 ……………………………………（20）
5 施 工 ……………………………………………………（22）
　5.1 一般规定 ……………………………………………（22）
　5.2 贮存与运输 …………………………………………（22）
　5.3 管道安装 ……………………………………………（22）
　5.4 水压试验 ……………………………………………（26）
　5.5 安全施工 ……………………………………………（27）
　5.6 卫生安全 ……………………………………………（28）
6 检验与验收 ………………………………………………（29）
　6.1 检验 …………………………………………………（29）
　6.2 验收 …………………………………………………（29）
本规程用词说明 ……………………………………………（31）
引用标准名录 ………………………………………………（32）
附:条文说明 ………………………………………………（33）

Contents

1 General provisions ...... (1)
2 Terms ...... (2)
3 Pipes and fittings ...... (3)
   3.1 General requirements ...... (3)
   3.2 Raw materials ...... (3)
   3.3 Pipes and fittings ...... (5)
4 Design ...... (14)
   4.1 General requirements ...... (14)
   4.2 Pipe layout and installation ...... (15)
   4.3 Pipe deformation calculation ...... (17)
   4.4 Pipe hydraulic calculation ...... (20)
   4.5 Pipe insulation and heating ...... (20)
5 Construction ...... (22)
   5.1 General requirements ...... (22)
   5.2 Storage and transportation ...... (22)
   5.3 Pipe installation ...... (22)
   5.4 Hydraulic pressure test ...... (26)
   5.5 Safe construction ...... (27)
   5.6 Health and safety ...... (28)
6 Inspection and acceptance ...... (29)
   6.1 Inspection ...... (29)
   6.2 Acceptance ...... (29)
Explanation of wording in this specification ...... (31)
List of quoted standards ...... (32)
Addition: Explanation of provisions ...... (33)

1 总　　则

1.0.1 为使复合β晶型无规共聚聚丙烯(NFPP-RCT)管道工程的设计、施工及验收,做到技术先进、经济合理、安全适用,制定本规程。

1.0.2 本规程适用于新建、改建、扩建的以水为输送介质的复合β晶型无规共聚聚丙烯(NFPP-RCT)管道工程的设计、施工及验收,且管道不得用于建筑室内消防给水系统。

1.0.3 复合β晶型无规共聚聚丙烯(NFPP-RCT)管道工程的设计、施工及验收除应符合本规程外,尚应符合国家现行有关标准的规定。

2 术 语

2.0.1 复合β晶型无规共聚聚丙烯(NFPP-RCT)管材　composite beta crystalline polypropylene random copolymer pipe

以内、外层为β晶型无规共聚聚丙烯材料和中间层为增强β晶型无规共聚聚丙烯材料为原料,通过三层共挤工艺加工而成的管材。简称 NFPP-RCT,亦称 NF β PP-R。

2.0.2 管系列(S)　pipe series

用以表示与公称外径和公称壁厚有关的无量纲数值。

2.0.3 设计应力(σ_d)　design stress

在设定使用条件下,管道所允许承受的应力。

2.0.4 设计压力(P_d)　design pressure

在设计选定的介质工作温度、预期使用寿命的条件下,管道系统设计的最高工作压力。

3 管材与管件

3.1 一般规定

3.1.1 管材规格应采用 $dn×en$（外径×壁厚）表示。

3.1.2 管材与管件应具有产品型式检验报告和产品质量合格证。

3.1.3 管材应有永久性标记,间隔不超过 1m,并应标明材料名称、规格、管系列、生产日期、执行标准、生产厂名和商标;管件上应标明材料名称、规格、管系列和商标;包装上应标明批号、数量、生产日期、生产厂名、地址及生产标准。

3.1.4 管道长度应根据包装或客户要求确定,但不得出现负偏差。

3.2 原 材 料

3.2.1 用于生产复合β晶型无规共聚聚丙烯(NFPP-RCT)管材、管件的原料,应由生产企业提供管道材料预测强度参照曲线(图3.2.1)。

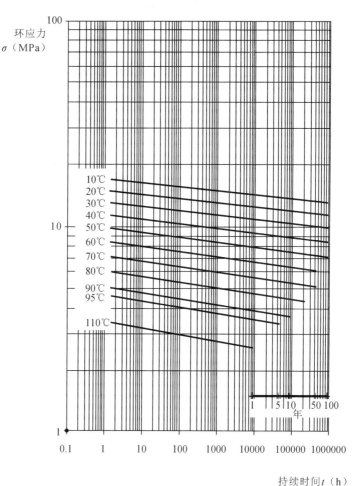

图 3.2.1 管道材料预测强度参照曲线

3.2.2 β晶型无规共聚聚丙烯原料的物理性能指标应符合表3.2.2的规定。

表3.2.2 β晶型无规共聚聚丙烯原料的物理性能指标

项　目	指　标	试验方法
密度	≤0.92g/cm³	《塑料 非泡沫塑料密度的测定 第1部分：浸渍法、液体比重瓶法和滴定法》GB/T 1033.1
熔体质量流动速率（g/10min）	≤0.5	《热塑性塑料熔体质量流动速率和熔体体积流动速率的测定》GB/T 3682
氧化诱导时间（200℃铝杯）	≥90min	《塑料 差示扫描量热法（DSC） 第6部分：氧化诱导时间(等温OIT)和氧化诱导温度(动态OIT)的测定》GB/T 19466.6

3.2.3 复合增强材料和β晶含量应符合本规程第3.3.5条的规定。

3.2.4 管材、管件的生产可采用本厂生产中产生的洁净回用料，且回用料添加量不得超过原料的5%。

3.3 管材与管件

3.3.1 管材由内层、中间层、外层三层结构组成（图3.3.1）。

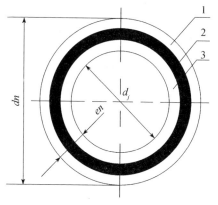

图3.3.1 管材结构示意图
1—β晶型无规共聚聚丙烯；2—复合增强β晶型无规共聚聚丙烯；
3—β晶型无规共聚聚丙烯

3.3.2 管材、管件外观质量应符合下列规定：

1 管材和管件的内、外壁应光滑、平整,无气泡、裂口、裂纹、砂孔、脱皮、凹陷、毛刺和明显的痕纹;管壁颜色应一致,无色泽不匀、缩形和分解变色线;

2 管材和管件不应含有可见性杂质;

3 管材的端面应切割平整,并垂直于管材的轴线;

4 管件应完整、无缺损、无变形;合模缝浇口应平整、无开裂;

5 管材和管件内、外壁宜为灰色或白色,中间层宜为蓝色或黑色;

6 管材断面不应出现层间分裂。

3.3.3 管材的规格尺寸及管材壁厚偏差应分别符合表3.3.3-1、表3.3.3-2的规定。

表3.3.3-1 管材规格尺寸（mm）

公称外径	平均外径		管系列S					
			S8	S6.3	S5	S4	S3.2	S2.5
dn	最小	最大	公称壁厚 e_n					
20	20.0	20.3	—	—	—	2.3	2.8	3.4
25	25.0	25.3	—	—	2.3	2.8	3.5	4.2
32	32.0	32.3	—	2.4	2.9	3.6	4.4	5.4
40	40.0	40.4	—	3.0	3.7	4.5	5.5	6.7
50	50.0	50.5	3.0	3.7	4.6	5.6	6.9	8.3
63	63.0	63.6	3.7	4.6	5.8	7.1	8.6	10.5
75	75.0	75.7	4.4	5.5	6.8	8.4	10.3	12.5
90	90.0	90.9	5.3	6.6	8.2	10.1	12.3	15.0
110	110.0	111.0	6.5	8.1	10.0	12.3	15.1	18.3
125	125.0	126.2	7.4	9.2	11.4	14.0	17.1	20.8
140	140.0	141.3	8.2	10.3	12.7	15.7	19.2	23.3
160	160.0	161.5	9.4	11.8	14.6	17.9	21.9	26.6
180	180.0	181.7	10.6	13.2	16.4	20.1	24.6	30.0

续表 3.3.3-1

公称外径	平均外径		管系列 S					
			S8	S6.3	S5	S4	S3.2	S2.5
dn	最小	最大	公称壁厚 en					
200	200.0	201.8	11.8	14.7	18.2	22.4	27.4	33.3
225	225.0	227.1	13.2	16.6	20.5	25.2	30.8	37.4
250	250.0	252.3	14.7	18.4	22.7	27.9	34.2	—
280	280.0	282.5	16.5	20.6	25.4	31.3	—	—
315	315.0	317.5	18.5	23.2	28.6	35.2	—	—
355	355.0	358.2	20.9	26.1	32.2	—	—	—
400	400.0	403.6	23.5	29.4	36.3	—	—	—

表 3.3.3-2 管材壁厚偏差（mm）

公称壁厚 en	允许偏差	公称壁厚 en	允许偏差
$2.0<en\leqslant3.0$	+0.4 0	$20.0<en\leqslant21.0$	+2.2 0
$3.0<en\leqslant4.0$	+0.5 0	$21.0<en\leqslant22.0$	+2.3 0
$4.0<en\leqslant5.0$	+0.6 0	$22.0<en\leqslant23.0$	+2.4 0
$5.0<en\leqslant6.0$	+0.7 0	$23.0<en\leqslant24.0$	+2.5 0
$6.0<en\leqslant7.0$	+0.8 0	$24.0<en\leqslant25.0$	+2.6 0
$7.0<en\leqslant8.0$	+0.9 0	$25.0<en\leqslant26.0$	+2.7 0
$8.0<en\leqslant9.0$	+1.0 0	$26.0<en\leqslant27.0$	+2.8 0
$9.0<en\leqslant10.0$	+1.1 0	$27.0<en\leqslant28.0$	+2.9 0

续表 3.3.3-2

公称壁厚 en	允许偏差	公称壁厚 en	允许偏差
10.0<en≤11.0	+1.2 0	28.0<en≤29.0	+3.0 0
11.0<en≤12.0	+1.3 0	29.0<en≤30.0	+3.1 0
12.0<en≤13.0	+1.4 0	30.0<en≤31.0	+3.2 0
13.0<en≤14.0	+1.5 0	31.0<en≤32.0	+3.3 0
14.0<en≤15.0	+1.6 0	32.0<en≤33.0	+3.4 0
15.0<en≤16.0	+1.7 0	33.0<en≤34.0	+3.5 0
16.0<en≤17.0	+1.8 0	34.0<en≤35.0	+3.6 0
17.0<en≤18.0	+1.9 0	35.0<en≤36.0	+3.7 0
18.0<en≤19.0	+2.0 0	36.0<en≤37.0	+3.8 0
19.0<en≤20.0	+2.1 0	37.0<en≤38.0	+3.9 0

3.3.4 热熔承插连接管件及电熔承插连接管件尺寸应分别符合表3.3.4-1、表3.3.4-2的规定,带金属螺纹接头的管件其螺纹部分应符合现行国家标准《55°密封管螺纹 第1部分:圆柱内螺纹与圆锥外螺纹》GB/T 7306.1和《55°密封管螺纹 第2部分:圆锥内螺纹与圆锥外螺纹》GB/T 7306.2的有关规定。

表 3.3.4-1 热熔承插连接管件尺寸 (mm)

公称外径 dn	最小承口深度 L_1	最小承插深度 L_2	承口平均内径 根部 d_{sm1} 最小	承口平均内径 根部 d_{sm1} 最大	承口平均内径 端部 d_{sm2} 最小	承口平均内径 端部 d_{sm2} 最大	最小通径 D
20	14.5	11.0	18.8	19.3	19.0	19.5	13
25	16.0	12.5	23.5	24.1	23.8	24.4	18
32	18.1	14.6	30.4	31.0	30.7	31.3	25
40	20.5	17.0	38.3	38.9	38.7	39.3	31
50	23.5	20.0	48.3	48.9	48.7	49.3	39
63	27.4	23.9	61.1	61.7	61.6	62.2	49
75	31.0	27.5	71.9	72.7	73.2	74.0	58.2
90	35.5	32.0	86.4	87.4	87.8	88.8	69.8
110	41.5	38.0	105.8	106.8	107.3	108.5	85.4
160	56.0	52.0	155.5	156.5	157.1	158.2	124.2

注：1 最小通径 D 指管件的最小内径；

2 d_{sm1} 为承口根部内径，d_{sm2} 为承口端部内径；

3 承口壁厚不应小于相同规格管材的壁厚。

表 3.3.4-2 电熔承插连接管件尺寸 (mm)

公称外径 dn	熔合段最小内径 d_{sm}	熔合段最小长度 L_2	插入长度 L_1 最小	插入长度 L_1 最大
20	20.1	10	20	37
25	25.1	10	20	40
32	32.1	10	20	44
40	40.1	10	20	49
50	50.1	10	20	55
63	63.2	11	23	63
75	75.2	12	25	70
90	90.2	13	28	79
110	110.3	15	32	85

续表 3.3.4-2

公称外径 dn	熔合段最小内径 d_{sm}	熔合段最小长度 L_2	插入长度 L_1	
			最小	最大
125	125.3	16	35	90
140	140.3	18	38	95
160	160.4	20	42	101

3.3.5 管材、管件的物理、化学性能应符合表 3.3.5-1、表 3.3.5-2 的规定。

表 3.3.5-1 管材的物理、化学性能

项目	指标	试验参数		试样数量	试验方法
		参数	数值		
熔体质量流动速率 MFR	变化率≤原材料的25%	砝码质量 温度	MFR≤0.5g/10min 2.16kg 230℃	分别从管材三层取样,每层3个	《热塑性塑料熔体质量流动速率和熔体体积流动速率的测定》GB/T 3682
β晶含量	≥70%	—	—	—	X射线衍射（K值法）
氧化诱导时间	≥90min	温度	200℃（铝杯）	—	《塑料 差示扫描量热法（DSC）第6部分：氧化诱导时间（等温OIT）和氧化诱导温度（动态OIT）的测定》GB/T 19466.6
增强材料质量含量	1%～3%	温度	600℃	—	《塑料 灰分的测定 第1部分：通用方法》GB/T 9345.1

续表 3.3.5-1

项目	指标	试验参数					试样数量	试验方法
		参数	数值					
纵向回缩率	≤2%	温度 时间	135℃±2℃ 1h				3	《热塑性塑料管材纵向回缩率的测定》GB/T 6671
管材简支梁冲击试验	破损试样≤10%	温度	-5℃±2℃ (0℃±2℃)				10	《流体输送用热塑性塑料管材简支梁冲击试验方法》GB/T 18743
静液压试验	无破损 无渗漏	温度	20℃	95℃	95℃	95℃	3	《流体输送用热塑性塑料管材耐内压试验方法》GB/T 6111
		时间	1h	22h	165h	1000h		
		静液压应力(MPa)	17	4.3	4.0	3.8		
静液压状态下的热稳定性试验	无破损 无渗漏	温度 时间 静液压应力	110℃ 8760h 2.6MPa				1	
线膨胀系数	0.15 (0.0558) mm/m·℃	温度	0℃~110℃				—	《塑料 -30℃~30℃线膨胀系数的测定 石英膨》GB/T 1036
导热系数	0.22~0.25 W/m·℃	温度	20℃				—	《纤维增强塑料导热系数试验方法》GB/T 3139

注：括号内数值是指添加增刚材料生产的明敷或非直埋热水管道。

表 3.3.5-2 管件的物理、化学性能

项目	指标	试验参数		试样数量	试验方法
		参数	数值		
熔体质量流动速率 MFR	变化率≤原材料的25%	砝码质量 温度	MFR≤0.5g/10min 2.16kg 230℃	分别从管材三层取样，每层3个	《热塑性塑料熔体质量流动速率和熔体体积流动速率的测定》GB/T 3682
β晶含量	≥70%	—	—	—	X射线衍射（K值法）
氧化诱导时间	≥90min	温度	200℃（铝杯）	—	《塑料 差示扫描量热法（DSC）第6部分:氧化诱导时间（等温OIT）和氧化诱导温度（动态OIT）的测定》GB/T 19466.6
增强材料质量含量	1%～3%	温度	600℃	—	《塑料 灰分的测定 第1部分:通用方法》GB/T 9345.1
水压失效压力试验	≥1h	温度 压力	20℃ 30/(2×S)MPa	3	《纤维增强热固性塑料管短时水压失效压力试验方法》GB/T 5351
	≥22h	温度 压力	95℃ 10/(2×S)MPa	3	
	≥165h	温度 压力	95℃ 9.1/(2×S)MPa	3	
	≥1000h	温度 压力	95℃ 8.7/(2×S)MPa	3	

注：S指管系列对应值。

3.3.6 管材与管件采用热熔、电熔连接,应进行耐内压试验及热循环试验,并分别符合表 3.3.6-1、表 3.3.6-2 的规定。

表 3.3.6-1 耐内压试验

管系列	试验温度（℃）	试验压力（MPa）	试验时间（h）	试验次数	指标	试验方法
S8	95	0.48	1000	3	无破损无渗漏	《流体输送用热塑性塑料管材耐内压试验方法》GB/T 6111
S6.3	95	0.60	1000			
S5	95	0.77	1000			
S4	95	0.96	1000			
S3.2	95	1.20	1000			
S2.5	95	1.53	1000			

表 3.3.6-2 热循环试验

最高试验温度（℃）	最低试验温度（℃）	试验压力（MPa）	循环次数（次）	每次循环时间（min）	试样数量	指标	试验方法
95	20	1.2	5000	30(冷、热水各15)	1	无破损无渗漏	《冷热水用聚丙烯管道系统 第2部分:管材》GB/T 18742.2

3.3.7 管材、管件应具有不透光性。

3.3.8 管材、管件及附件的卫生性能应符合现行国家标准《生活饮用水输配水设备及防护材料的安全性评价标准》GB/T 17219 的有关规定。

3.3.9 管材与金属管道和用水器具配水件连接时,应采用厂家配套供应的过渡管件连接,过渡管件应带耐腐蚀的金属螺纹嵌件,且公称压力应符合设计要求。

4 设 计

4.1 一 般 规 定

4.1.1 复合β晶型无规共聚聚丙烯(NFPP-RCT)管材、管件的选用应根据系统连续工作温度、工作压力和设计使用寿命,根据管道材料预测强度参照曲线确定。

4.1.2 设计中应标明所选管道的使用条件级别、管系列、系统工作温度及工作压力。管道使用条件级别和管系列应分别按表4.1.2-1、表4.1.2-2选用。

表 4.1.2-1 管道使用条件级别

应用级别	T_D (℃)	在 T_D 下的时间 (a)	T_{max} (℃)	在 T_{max} 下的时间 (a)	T_{mal} (℃)	在 T_{mal} 下的时间 (h)	典型应用范围
级别1	60	49	80	1	95	100	热水供应(60℃)
级别2	70	49	80	1	95	100	热水供应(70℃)
级别4	20	2.5	70	2.5	100	100	低温供暖
级别4	40	20	70	2.5	100	100	低温供暖
级别4	60	25	70	2.5	100	100	低温供暖
级别5	20	14	90	1	100	100	高温供暖
级别5	60	25	90	1	100	100	高温供暖
级别5	80	10	90	1	100	100	高温供暖

注:1 T_D—设计温度;T_{max}—最高设计温度;T_{mal}—故障(失控)温度;
　　2 本表参照现行国家标准《冷热水系统用热塑性塑料管材和管件》GB/T 18991的有关规定编制。

表 4.1.2-2 管系列 S

设计压力 P_d (MPa)	冷水管 水温(℃)			热水管			
	10	20	30	级别 1 $\sigma_d=3.64$ (MPa)	级别 2 $\sigma_d=3.42$ (MPa)	级别 4 $\sigma_d=3.67$ (MPa)	级别 5 $\sigma_d=2.92$ (MPa)
0.4	S8	S8	S8	S8	S8	S8	S6.3
0.5	S8	S8	S8	S6.3	S6.3	S6.3	S5
0.6	S8	S8	S8	S5	S5	S5	S4
0.7	S8	S8	S8	S5	S4	S5	S4
0.8	S8	S8	S8	S4	S4	S4	S3.2
0.9	S8	S8	S8	S4	S3.2	S4	S3.2
1.0	S8	S8	S8	S3.2	S3.2	S3.2	S2.5

注：1 σ_d 指设计应力(MPa)；
    2 热水管道使用条件级别应按长期使用温度确定。

4.1.3 管道连接方式应根据管道敷设方式、管径及安装位置等因素综合确定。明敷管道、非直埋管道宜采用热熔连接,安装困难场所的管道可采用电熔连接；与金属管或用水器具连接应采用螺纹或法兰连接。

4.2 管道布置与敷设

4.2.1 室外管道应埋地敷设。当需要在室外架空或靠外墙敷设时,应避免受阳光直接照射,并应有有效的保护措施。

4.2.2 室内管道宜暗敷。明敷时立管应布置在不易受撞击处,当不能避免时,应在管外加保护措施。

4.2.3 管道不得布置在灶台上边缘；明敷立管距灶台边缘不得小于 0.4m,距燃气热水器边缘不宜小于 0.2m。不满足要求时,应采取可靠的保护措施；管道不得与水加热器或热水炉直接连接,在满足使用温度的条件下,应有不小于 0.4m 的金属管段过渡。

4.2.4 管道上连接的各种阀门、仪表等应固定牢靠,不应将阀门、仪表等的重量和操作力矩传递给管道。

4.2.5 管道应有伸缩补偿措施,补偿量应根据计算确定。

4.2.6 室内敷设的管道应设支、吊架,管道支、吊架最大间距应按表 4.2.6 的规定执行。当不能利用自然补偿或补偿器补偿时,管道支、吊架均应采用固定支架;当冷、热水管道共用支、吊架时,应以热水支、吊架间距确定;暗敷直埋管道的固定点间距应为 1000mm~1500mm,并可不设伸缩补偿措施。

表 4.2.6 管道支、吊架最大间距（mm）

公称外径 dn		20	25	32	40	50	63	75	90	110
冷水管	横管	600	700	800	900	1000	1100	1200	1350	1550
	立管	900	1000	1100	1300	1600	1800	2000	2200	2400
热水管	横管	300	350	400	500	600	700	800	1200	1300
	立管	400	450	520	650	780	910	1040	1560	1700

注:公称外径大于 110mm 的管道支、吊架间距应按计算确定。

4.2.7 当管道暗敷时,应符合下列规定:

    1 不得直接敷设在建筑物结构层内;

    2 干管和立管应敷设在吊顶、管井、管窿内,支管宜敷设在楼(地)面的垫层内或沿墙敷设在竖向管槽内;

    3 敷设在垫层或墙体管槽内的支管外径不宜大于 25mm;

    4 敷设在垫层或墙体管槽内的管道,必须采用热熔连接,不得有卡套式或卡环式接口。采用柔性管材时宜采用分水器向各卫生器具配水,中途不得有连接配件,两端接口应明露;

    5 敷设在垫层或墙体管槽内的热水管道,当墙体或地坪面层的材料耐温小于等于 50℃时,应采取隔热措施。

4.2.8 热水管道穿墙壁时应预埋钢套管;冷水管道穿墙壁时应预留孔洞,洞口尺寸宜比管道外径大 50mm。管道穿越建筑物外墙、楼板和基础时应加钢套管;穿越屋面、地下室外墙时应加防水套管。

4.2.9 管道不宜用于室内明装立管和给水泵房内,并不得用于热水机房内的热水管。

4.2.10 管道与其他金属管道平行敷设时,管道之间应有不小于

100mm 的净保护距离,且管道宜在金属管道内侧;管道不得敷设在高温热水管和蒸汽管的上方,且平面位置应错开;与其他管道交叉时,应采取相应的保护措施。

4.3 管道变形计算

4.3.1 公称外径不大于 25mm 的管道,在室内直埋敷设时可不计温度变化引起的管道轴向伸缩补偿。

4.3.2 明敷和非直埋敷设的管道因水温或环境温度变化引起的轴向伸缩量可按下列公式计算:

$$\Delta L = \alpha \cdot L \cdot \Delta t \qquad (4.3.2\text{-}1)$$
$$\Delta t = 0.65\Delta t_s + 0.1\Delta t_g \qquad (4.3.2\text{-}2)$$

式中:ΔL——管道伸缩长度(mm);

α——线膨胀系数[mm/(m·K)],可取 0.15;

L——管道长度(m);

Δt——计算温差(℃);

Δt_s——管道内水的最大变化温差(℃);

Δt_g——管道外空气的最大变化温差(℃)。

4.3.3 管道变形可利用 L(Z)型自由臂补偿(图 4.3.3-1)或方形补偿器补偿(图 4.3.3-2)。

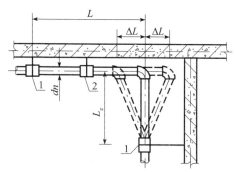

图 4.3.3-1 L(Z)型自由臂补偿管道伸缩示意图
1—固定支架;2—滑动支架

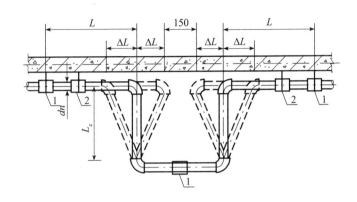

图 4.3.3-2 方形补偿管道伸缩示意图
1—固定支架；2—滑动支架

4.3.4 最小自由臂长度可按下式计算确定,单位长度的最小自由臂长度按表 4.3.4 选用。

$$L_z = K \cdot \sqrt{\Delta L \cdot dn} \quad (4.3.4)$$

式中：L_z——最小自由臂长度(mm)；

K——材料常数,取 20；

ΔL——自固定点起管道伸缩长度(mm),可按本规程式 (4.3.2-1)计算确定；

dn——管道公称外径(mm)。

表 4.3.4 单位长度的最小自由臂长度 (mm/m)

公称外径 dn	20	25	32	40	50	63	75	90	110	160
冷水管 L_z	155	173	196	219	245	275	300	329	363	438
热水管 L_z	290	324	367	409	458	515	561	615	679	819

注：1 表中热水管自由臂长度计算温差按 70℃ 计,冷水管计算温差按 20℃ 计；
    2 表中数值按线膨胀系数 $\alpha=0.15$mm/(m·K)计算；
    3 公称外径大于 160mm 的管道自由臂长度应按计算确定。

4.3.5 当不具备自然补偿条件时,应设置补偿器,并在补偿器两侧管道适当位置设固定支架。

4.3.6 当采用固定支架限制管道变形时,其最大间距不得超过本规程第4.2.6条的规定。固定支架的支承力不得小于管道因温度变化引起的膨胀力。管道在不同使用温度时的膨胀力可按下式计算,也可按表4.3.6选用。

$$F_P = \alpha \cdot E \cdot A \cdot \Delta t \times 10^{-3} \quad (4.3.6)$$

式中：F_P——单位长度直线管段的膨胀力(N)；

Δt——使用温度与安装环境温度的差值(℃)；

E——弹性模量(N/mm²),不同使用温度时的弹性模量为：$E_{20}=732$N/mm²；$E_{40}=528$N/mm²；$E_{60}=331$N/mm²；$E_{80}=260$N/mm²；

α——线膨胀系数[mm/(m·K)],可取0.15；

A——管道壁截面积(mm²)。

表4.3.6 管道在不同使用温度时的膨胀力

公称外径 dn(mm)	管道壁截面积 A(mm²)	膨胀力 F_P(N)			
		20℃	40℃	60℃	80℃
20	178	293	494	486	521
25	275	453	763	751	805
32	451	743	1251	1232	1319
40	701	1154	1945	1915	2050
50	1087	1791	3016	2968	3180
63	1731	2852	4802	4727	5063
75	2454	4043	6808	6701	7178
90	3533	5821	9802	9648	10334
110	5270	8680	14608	14391	15415

注：1 表中数值是按施工时环境温度为5℃、管系列S2.5计算而得；
　　2 公称外径大于110mm的管道膨胀力应按计算确定。

4.3.7 支管与干管连接时,应采取管道补偿措施(图4.3.7)。

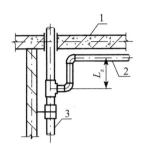 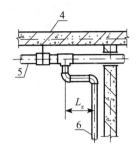

（a）支管与立管连接　　（b）立管（支管）与水平干管连接

图 4.3.7　管道补偿示意图

1—楼面；2—水平支管；3—立管；4—楼面（墙面）；
5—水平干管；6—立管（水平支管）

4.3.8 管道安装位置应保证管道在最大位移时,其隔热层外壁与其他物体外表面的距离不小于10mm。

4.3.9 管道最小弯曲半径不得小于5倍的管道公称外径。

4.4　管道水力计算

4.4.1 管道压力损失应包括管道沿程水头损失和管道局部水头损失。

4.4.2 管道水力计算应按现行国家标准《建筑给水排水设计规范》GB 50015和《建筑给水塑料管道工程技术规程》CJJ/T 98的有关规定执行。

4.5　管道保温与隔热

4.5.1 室内需保温的直埋管道,可在沟槽内填充水泥珍珠岩或陶粒混凝土等保温材料。

4.5.2 室内明敷和室内有可能冻结的管道,应采取防冻措施,保温厚度应根据设计确定,并在保温层外作保护层,保护层应具有密封性、防渗性和防火性。

4.5.3 在有可能结露的场所,管道应采取防结露措施,隔热层厚度应根据管内水温、管外环境温度和湿度经计算确定。

4.5.4 当管道室外需明敷时,应避免阳光直接照射。室外管道应做隔热保温,且在隔热保温基体材料外做保护层,保护层应具有密封性和防火性。

5 施 工

5.1 一般规定

5.1.1 管道安装施工前,应具有完整的施工图纸,并进行技术交底。

5.1.2 管道连接时,应配备专用机具;施工人员应经专项技术培训和相应的施工技能培训。

5.1.3 施工安装时应核对管材的管系列 S,冷、热水管道不得混淆;管道标记应面向外侧。

5.1.4 管道系统安装间断时,敞口处应随时封堵。

5.1.5 施工环境温度不应低于5℃,当冬季施工环境温度较低时,应注意管材的低温特性,采取相应的保护措施。

5.1.6 施工中不得用重锤等硬物敲打管材、管件。

5.2 贮存与运输

5.2.1 管材、管件在装卸、运输和搬运时,应小心轻放,避免油污和化学品污染,严禁撞击,不得抛、摔、滚、拖。

5.2.2 管材、管件应置于通风良好的房间内,不得露天堆放,避免阳光照射;堆放场所应远离热源。

5.2.3 管材应水平堆放在平整的地面上,避免局部受压使管材变形,堆放高度不宜超过1.5m;管件储存应成箱存放在货架上或逐层码放整齐,堆放高度不宜超过1.5m。

5.3 管道安装

5.3.1 同材质的管材与管件应采用热熔或电熔连接,安装时应采用配套的专用熔接工具。

5.3.2 管道与金属管、阀门及配件连接时,应采用带金属嵌件的专用过渡管件,该管件与管道应采用热熔承插连接或电熔连接,与金属管及配件应采用螺纹连接或法兰连接。

5.3.3 直埋于地坪面层或地面垫层下、墙体内的管道,不得采用螺纹连接或法兰连接。

5.3.4 热熔承插连接应符合下列规定:

  1 热熔工具接通电源后,应在工作温度指示灯亮后方可开始操作;

  2 切割管材时,应使端面垂直于管轴线,管材切割可采用管子剪或管道切割机;

  3 管材与管件连接的端面应清洁、干燥、无油;

  4 热熔深度应用卡尺和笔在管端进行测量并标绘,并应符合表5.3.4的规定;

表5.3.4 热熔承插连接技术要求

公称外径 dn(mm)	热熔深度(mm)	加热时间(s)	加工时间(s)	冷却时间(min)
20	14	5	4	3
25	16	7	4	3
32	20	8	4	4
40	21	12	6	4
50	22.5	18	6	5
63	24	24	6	6
75	26	30	10	8
90	32	40	10	8
110	38.5	50	15	10

注:本表适用的环境温度为20℃,低于该环境温度时,加热时间应适当延长。若环境温度低于5℃,加热时间应延长50%。

  5 熔接弯头或三通时,应按设计图纸要求,在管件和管材的直线方向上标出其位置;

6 连接时，应无旋转地把管端导入熔接工具的加热套内，插入到所标志的深度，同时，应无旋转地把管件推到熔接工具的加热头上，达到规定标志处。加热时间宜满足表5.3.4的规定，也可按热熔工具生产厂家的产品说明书中的规定执行；达到加热时间后，应立即把管材与管件从加热套和加热头上同时取下，迅速无旋转地直线均匀插入到所标深度，使接头处形成均匀凸缘。施工时严禁旋转。

5.3.5 电熔连接应符合下列规定：

1 电熔连接管材的端面应切割垂直，并用洁净的棉布擦净管材和管件连接面上的污物，标出插入深度；

2 应校直两连接件，使其在同一轴线上；

3 电熔连接机具与电熔管件的导线连接应正确，连接前应检查电源电压；

4 电熔连接的标准加热时间，应由生产厂家提供，并应随环境温度的不同加以调整，电熔连接的加热时间与环境温度的关系应符合表5.3.5的规定。

表5.3.5 电熔连接的加热时间与环境温度的关系

环境温度（℃）	加热时间（s）
－10	$t+12\%$
0	$t+8\%$
＋10	$t+4\%$
＋20	标准加热时间 t
＋30	$t-4\%$
＋40	$t-8\%$
＋50	$t-12\%$

注：1 标准加热时间 t 应由电熔机具设备厂家提供；
  2 若电熔机具有温度自动补偿功能，则不需调整加热时间。

5 在熔合和冷却过程中，不得移动、转动电熔管件和管道，不得在连接件上施加任何外力。

5.3.6 当管道采用法兰连接时,应符合下列规定:

1 将与连接管道相同压力等级的法兰盘套在管道上;法兰盘应采用耐腐蚀性的钢制法兰盘,法兰与金属管道采用焊接,与聚丙烯管道采用专用过渡接头连接;

2 过渡接头与管道的热熔承插连接或电熔连接应分别符合本规程第5.3.4条和第5.3.5条的规定;

3 应校直两对应的连接件,使连接的两片法兰垂直于管道轴线,表面相互平行;

4 管道接口处的法兰垫圈,应采用耐热、无毒、耐老化的弹性垫圈,并应符合现行国家标准《生活饮用水输配水设备及防护材料的安全性评价标准》GB/T 17219的有关规定;

5 应使用相同规格的螺栓,安装方向一致;螺栓应对称紧固,紧固好的螺栓应露出螺母之外并齐平;螺栓、螺帽应采用热镀锌件;

6 连接管道的长度应精确,当紧固螺栓时,不应使管道产生轴向拉力;

7 法兰连接部位的两侧应设置支、吊架。

5.3.7 室内明敷的管道,应在墙面饰面层完成后安装,并应配合土建预留孔洞或预埋套管。

5.3.8 室内直埋的管道,应在内墙面、楼(地)面饰面层施工前安装。

5.3.9 管道安装时,不得有轴向扭曲,穿墙体或穿楼板时,不宜强制校正。

5.3.10 管道直埋在地面垫层内时,应按设计要求准确定位,地面上应有明显的管线标识。

5.3.11 管道嵌墙敷设时,管槽深度宜比管道外径大20mm,宽度宜比管道外径大40mm～60mm;管槽表面应平整,不得有尖锐的突出物,管道试压合格后,管槽应用M10级水泥砂浆填实,并应采取防开裂的技术措施。

5.3.12 管道穿楼板时,应设置钢套管,套管高出楼(地)面100mm;管道穿楼板、屋面时,应采取严格的防水措施,且穿越屋面结构前端应设固定支架。

5.3.13 直埋在地面垫层下和墙体管槽内的管道,应做好水压试验和隐蔽工程的验收与记录工作。

5.3.14 建筑物埋地引入管和室内埋地管道敷设应符合下列规定：

1 室内埋地管道敷设宜分段施工,先施工地坪以下至基础外墙段的管道,待土建施工结束后,再进行户外连接管的施工;

2 室内地坪以下管道敷设应在土建工程回填土夯实后,重新开挖进行。严禁在回填土之前或未经夯实的土层中敷设;

3 敷设管道的沟底应夯实平整,不得有突出的尖硬物体,土质较差时应铺设100mm的砂垫层;

4 埋地管道回填时,管周回填土不得夹杂尖硬物直接与管壁接触,应先用砂土或颗粒径不大于12mm的土壤回填到管顶上侧300mm处,经夯实后再回填原土。室内管道的覆土厚度不宜小于500mm;

5 管道出地坪处应设置钢护套管,其高度应高出地坪100mm;

6 管道穿基础墙时,应设置金属套管。穿地下室外墙时,应设防水套管;

7 室外埋地引入管应敷设在冰冻线以下,覆土厚度不宜小于900mm,位于车行道时,应采取相应的保护措施。

5.3.15 管道安装后,不应攀踏或借作他用。

5.4 水 压 试 验

5.4.1 冷水系统管道试验压力应为系统工作压力的1.5倍,但不得小于1.0MPa。

5.4.2 热水系统管道试验压力应为系统工作压力的2.0倍,但不得小于1.4MPa。

5.4.3 直埋在地面垫层和墙体管槽内的管道,水压试验应在浇捣或封堵前进行,试压合格后再继续施工。

5.4.4 管道系统水压试验应符合下列规定:

　　1 管道安装完毕,外观检查合格后再进行水压试验;

　　2 热熔承插连接和电熔连接的管道,水压试验应在连接24h后进行;

　　3 管道系统较大时,可分层、分区试压;

　　4 试验前管道应固定,接头应外露,且不得连接卫生洁具;

　　5 压力表应安装在试验管段的最低处,压力精度为0.01MPa;

　　6 从管段最低处缓缓地向管道内充水,充分排除管道内的空气;

　　7 对管道缓缓升压,升压宜用手动泵,升压时间不小于15min;

　　8 升压至规定的试验压力后,每隔10min重新加压至试验压力,重复两次,然后稳压1h,压力降不得超过0.06MPa;

　　9 试验合格后,继续稳压2h,压力降不得超过0.02MPa;

　　10 水压试验过程中,各连接处不得有渗漏现象。

5.4.5 给水系统试压合格后,应将管端与配水件接通,以管网系统设计工作压力供水,并将配水件分批同时打开,各配水点出水应畅通。

5.4.6 冬季进行水压试验时,应采用有效的防冻措施,试验完毕后应及时排除管道中的水。

5.4.7 热水系统初次充水时,应分步慢慢升温,并先将水温控制在25℃～30℃范围内运行24h,然后每隔24h升温不超过5℃,直至达到设计水温。

5.5　安全施工

5.5.1 使用热熔、电熔工具时,应遵守电器工具安全操作规程,注意防触电、防烫伤、防潮和脏物污染。

5.5.2 操作现场不得使用明火;不应对塑料管用明火烘弯。

5.5.3 不得将其他物体拉、挂、攀、吊在管道上。

5.5.4 直埋管道封闭后,应在墙面或地面标明管道的位置和走向;不得在管位处冲击或钉金属钉等尖锐物体。

5.6 卫生安全

5.6.1 生活给水管道系统必须保证卫生安全。

5.6.2 生活给水管道系统验收前,应通水清洗。冲洗时,应打开每个配水点的水嘴,不得留有死角;系统的最低点应设泄水口,清洗时间控制在泄水口的出水水质与系统进水水质相当为止,冲洗时水流速度不宜小于2.0m/s。

5.6.3 生活给水管道系统清洗完毕后,应用含量不低于20mg/L的氯离子浓度的清水灌满管道进行消毒,含氯水在管中应静置24h以上。

5.6.4 生活给水管道消毒后,再用饮用水冲洗干净,经卫生监督管理部门取样检验合格后,再交付使用。生活给水管道系统和饮用净水管道系统的水质,应符合现行国家标准《生活饮用水卫生标准》GB 5749和《饮用净水水质标准》CJ 94的有关规定。

5.6.5 供暖、空调等非生活给水管道系统的卫生要求,应符合设计要求。

6 检验与验收

6.1 检 验

6.1.1 管材、管件应进行抽样检验。

6.1.2 管材、管件应有完整的产品说明书、型式检验报告和出厂合格证书,用于生活给水系统和饮用净水系统的,应有相关部门的卫生检验报告。

6.1.3 管材、管件应进行外观质量检验,外观质量应符合本规程第3.3.2条的规定,外观质量不合格的产品不得使用。

6.1.4 管材、管件的规格尺寸及壁厚偏差应符合本规程第3.3.3条、第3.3.4条的规定,指标不合格的产品不得使用。

6.2 验 收

6.2.1 管道工程竣工后应经过竣工验收,验收合格后方可交付使用。

6.2.2 竣工验收时,应具备下列文件:
    1 施工图、竣工图及设计变更文件;
    2 管材、管件的出厂合格证、型式检验报告、抽样检测报告、卫生许可报告及现场检验记录;
    3 中间试验记录和隐蔽工程验收记录;
    4 水压试验和通水试验记录;
    5 管道清洗和消毒记录,卫生监督部门出具的通水消毒检验合格报告;
    6 工程质量事故处理记录;
    7 工程质量检验评定记录。

6.2.3 隐蔽工程应在管道安装完成后进行分部验收。

6.2.4 管道应进行下列隐蔽验收：
　　1 检验管槽是否平整,有无尖锐的突出物;
　　2 检查管材、管件的压力等级是否满足设计要求;
　　3 检查管井、吊顶内的管道是否有管道伸缩的技术措施;
　　4 检查冷、热水管是否连接正确。

6.2.5 工程验收时,应重点检查下列项目：
　　1 冷、热水管道不得混淆;
　　2 管道支、吊架安装位置和牢固性;
　　3 阀门及配水件的启闭灵活性和固定牢靠性;
　　4 管道接口的密封性;
　　5 保温材料的选用、厚度;
　　6 标高和坡度的正确性。

6.2.6 工程质量验收应符合本规程和设计要求。

6.2.7 验收文件应立卷归档。

本规程用词说明

1 为便于在执行本规程条文时区别对待,对要求严格程度不同的用词说明如下:
　　1)表示很严格,非这样做不可的:
　　　　正面词采用"必须",反面词采用"严禁";
　　2)表示严格,在正常情况下均应这样做的:
　　　　正面词采用"应",反面词采用"不应"或"不得";
　　3)表示允许稍有选择,在条件许可时首先应这样做的:
　　　　正面词采用"宜",反面词采用"不宜";
　　4)表示有选择,在一定条件下可以这样做的,采用"可"。

2 条文中指明应按其他有关标准执行的写法为:"应符合……的规定"或"应按……执行"。

引用标准名录

《建筑给水排水设计规范》GB 50015
《建筑给水塑料管道工程技术规程》CJJ/T 98
《塑料 非泡沫塑料密度的测定 第1部分:浸渍法、液体比重瓶法和滴定法》GB/T 1033.1
《塑料 －30℃～30℃线膨胀系数的测定 石英膨胀计法》GB/T 1036
《纤维增强塑料导热系数试验方法》GB/T 3139
《热塑性塑料熔体质量流动速率和熔体体积流动速率的测定》GB/T 3682
《生活饮用水卫生标准》GB 5749
《流体输送用热塑性塑料管材耐内压试验方法》GB/T 6111
《热塑性塑料管材纵向回缩率的测定》GB/T 6671
《55°密封管螺纹 第1部分:圆柱内螺纹与圆锥外螺纹》GB/T 7306.1
《55°密封管螺纹 第2部分:圆锥内螺纹与圆锥外螺纹》GB/T 7306.2
《塑料 灰分的测定 第1部分:通用方法》GB/T 9345.1
《生活饮用水输配水设备及防护材料的安全性评价标准》GB/T 17219
《冷热水用聚丙烯管道系统 第2部分:管材》GB/T 18742.2
《流体输送用热塑性塑料管材 简支梁冲击试验方法》GB/T 18743
《冷热水系统用热塑性塑料管材和管件》GB/T 18991
《塑料 差示扫描量热法(DSC) 第6部分:氧化诱导时间(等温OIT)和氧化诱导温度(动态OIT)的测定》GB/T 19466.6
《饮用净水水质标准》CJ 94

中国工程建设协会标准

复合β晶型无规共聚聚丙烯
(NFPP-RCT)管道工程技术规程

CECS 414:2015

条 文 说 明

目　　次

1 总　　则 …………………………………………… （37）
2 术　　语 …………………………………………… （38）
3 管材与管件 ………………………………………… （40）
　3.1 一般规定 ……………………………………… （40）
　3.2 原材料 ………………………………………… （40）
　3.3 管材与管件 …………………………………… （40）
4 设　　计 …………………………………………… （43）
　4.1 一般规定 ……………………………………… （43）
　4.2 管道布置与敷设 ……………………………… （43）
　4.3 管道变形计算 ………………………………… （43）
　4.4 管道水力计算 ………………………………… （44）
5 施　　工 …………………………………………… （45）
　5.1 一般规定 ……………………………………… （45）
　5.2 贮存与运输 …………………………………… （45）
　5.3 管道安装 ……………………………………… （45）
　5.4 水压试验 ……………………………………… （46）
　5.6 卫生安全 ……………………………………… （46）
6 检验与验收 ………………………………………… （47）
　6.1 检验 …………………………………………… （47）
　6.2 验收 …………………………………………… （47）

1 总 则

1.0.1、1.0.2 条文对复合β晶型无规共聚聚丙烯管道系统的适用范围作了具体规定。根据管材的物理和化学性能，可以应用于以水为输送介质的冷水给水系统、热水给水系统、管道直饮水系统、散热器采暖系统、空调水系统等。因管材阻燃性差，本规程规定不得用于建筑室内消防给水系统。

复合β晶型无规共聚聚丙烯管是以β晶型无规共聚聚丙烯为主料生产的，本规程的相关规定，同样适用于以β晶型无规共聚聚丙烯PP-RCT(βPP-R)为主要原料生产的其他类型管道，但设计使用中应根据其相关性能，采取相应的技术措施。

1.0.3 本规程是根据复合β晶型无规共聚聚丙烯管道的特性，作出的相关技术规定。为确保工程质量，在设计、施工、监理及验收中，尚应符合国家现行有关标准的规定。

2 术　语

2.0.1 普通 PP-R 塑料管道存在耐热及力学性能差的缺点,市场上的产品质量参差不齐,也没有简易可靠的质量检验手段,在工程实践中存在一定的安全隐患。复合 β 晶型无规共聚聚丙烯(NFPP-RCT、NFβPP-R)管材是在三型聚丙烯(PP-R)管材的基础上,引进国际先进的 β 成核技术研制开发的一种无机复合无规共聚聚丙烯管材,该管材采用的是 β 晶型聚丙烯原料,在国际上被称为 β 管。

因管材生产过程中,采用了 β 晶型的无规共聚聚丙烯和无机增强材料,使管材韧性得到了显著增强,耐热性能、耐冲击性能及使用寿命等方面都得到很大的提升,是三型聚丙烯管材的升级换代产品。

β 晶是以 β 晶型无规共聚聚丙烯为主要原料生产的管材的主要指标之一,也是区别于其他类型聚丙烯(如 PP-H、PP-B、PP-R 管,是 α 晶体)的核心指标。

2.0.2 管系列 S 是一个很重要的技术参数,设计中应根据使用场所的水温、设计压力、使用寿命等情况综合确定。管系列与管材公称外径和公称壁厚有关,管系列可按下式计算:

$$S = \frac{dn - en}{2en} \tag{1}$$

式中:S——管系列;

dn——管材公称外径(mm);

en——管材公称壁厚(mm)。

2.0.3、2.0.4 管道内介质施加在单位面积上的力(内压力 P)与内压在管壁内单位面积上产生的环向(周向)的力(环应力 σ),采

用下式计算:
$$\sigma = \frac{P(dn-en)}{2en} = P \cdot S \tag{2}$$
式中:σ——环应力(MPa),可从材料预测强度参照曲线获得;
P——内压力(MPa);
dn——管道公称外径(mm);
en——管道最小壁厚(mm);
S——管系列。

这里的 P 和 σ 均为理论值,设计中应留有足够的余地,通常考虑1.5的安全系数,即设计应力 $\sigma_d = \sigma/1.5$,设计压力 $P_d = \sigma_d/S$。工程使用中,系统的工作压力不得大于管道的设计压力。

3 管材与管件

3.1 一般规定

3.1.2 因用于生产复合β晶型无规共聚聚丙烯管材、管件的原料,存在质量差异,直接影响产品质量,故对生产管材、管件的原料和成品质量做了明确规定。

3.2 原材料

3.2.1 管道材料预测强度是复合β晶型无规共聚聚丙烯管材的重要参数,他可以推测管材在不同使用温度、不同使用寿命时的环应力,是确定管道设计压力的基础条件。

3.2.4 从目前 PP-R 塑料管道的工程应用情况看,工程事故较多,其主要原因是供应商为追求低成本、高效益,生产过程中随意添加不合格的回用料和其他材料,故本规程对生产中回用料的选用和添加量做了明确规定。

3.3 管材与管件

3.3.2~3.3.4 条文对管材、管件的外观质量、规格尺寸做了相应规定。外观质量反映了产品制作工艺水平、投加原料的均匀性及成品保护等方面的问题,从感官上体现了产品质量的好坏,因此要求管道外观上不得有影响产品质量的现象。

公称外径大于 160mm 管件的规格尺寸,应按厂家提供的数值选用。

3.3.5 本条对复合β晶型无规共聚聚丙烯管材、管件的主要物理特性及特殊性能做了规定,目的是控制原材料的质量,确保工程建设质量。

熔体质量流动速率(MFR)是表征材料在熔融状态时的黏度大小的物理量。它是材料在一定时间内，一定温度和一定剪应力下流过规定直径口模的质量，是材料加工流动性的量度。通过对原材料熔体质量流动速率观测，可以了解原材料的配方、生产工艺和平均分子量及其分布是否发生了重大变化。国标上，聚烯烃管材规定其熔体质量流动速率小于等于30%，为了保证原料的可靠性，本规程规定熔体质量流动速率不应大于25%；

β晶含量是β晶型无规共聚聚丙烯管材的主要指标之一，只有达到或者超过70%才是目前国际公认的四型β晶型聚丙烯，β晶含量可通过X射线衍射仪检测，X射线衍射仪是一种常见的分析仪器，具有很好的操作性；

氧化诱导时间是预测塑料管道长期耐老化寿命的重要依据。管材、管件的氧化降解是温度和时间的函数，可以采用氧化诱导期法加速试验外推聚烯烃管材的热氧寿命。PP-R氧化诱导时间在40min(200℃)左右。国内企业测试的复合β晶型无规共聚聚丙烯管道的氧化诱导时间在130min以上，本规程规定管道的氧化诱导时间不应小于90min，可保证管材在长期使用中不会由于热氧的破坏缩短使用寿命；

增强材料复合技术主要是通过添加增强材料，提高管道的抗低温脆性、增加韧性、增强耐热氧老化性；

管材简支梁冲击试验是检测管材在低温状态下的抗冲击性能，该试验的温度规定为－5℃，主要是因为采用了复合技术，管材的低温韧性得到了明显的提高。对于明敷或非直埋的热水管道，若企业为了减小管道的线膨胀系数，添加增刚材料生产时，因管道刚性增强，耐冲击性减弱，其简支梁冲击试验温度规定为0℃，线膨胀系数为0.0558mm/(m·K)。

3.3.6 本条规定了复合β晶型无规共聚聚丙烯管道系统的适用性试验要求，热循环试验是检验系统稳定性的重要方法。管材、管件与密封件的材料和结构不同，在特定的使用环境条件下，其线膨胀系数、耐热能力及尺寸变化等有较大的差别,从而影响管材的连接密封性能和长期使用寿命,一般难以从理论上分析和预测管道系统的使用寿命。该方法通过冷、热水(20℃/95℃)交替运行,进行高达5000次高、低温耐压热循环试验,模拟实际的管道运行过程,得到系统的综合耐压和密封性能。本规程规定的试验压力由PP-R管的1.0MPa提升到1.2MPa。

3.3.7 管材透光性检验一般采用以下方式:取400mm长的管段,将一端用不透光材料密封,在管子侧面有自然光的条件下,用手握住有光源方向的管壁,从管子开口端用肉眼观察试样的内表面,以看不见手遮挡光源的影子为合格。

3.3.8 复合β晶型无规共聚聚丙烯管道用于生活给水系统和饮用净水系统时,必须满足卫生要求。

4 设 计

4.1 一般规定

4.1.1 复合β晶型无规共聚聚丙烯管道的选用主要考虑介质温度、工作压力和使用寿命三个因素。设计时应综合各种因素,合理选用,做到安全、经济、适用。

需要注意的是,复合β晶型无规共聚聚丙烯管道的承压能力与水温和使用时间有明显的因果关系,水温越高,允许压力越小;承压时间越长,允许压力越小。

4.1.2 管道使用条件级别和管系列,是选用聚丙烯塑料管道的两个重要参数。管道使用条件级别应根据系统长期使用温度和使用寿命合理确定;管系列则应根据系统设计工作压力和所选管道使用级别确定。

4.2 管道布置与敷设

4.2.2 复合β晶型无规共聚聚丙烯管道有明敷和暗敷(直埋敷设和非直埋敷设),直埋敷设包括嵌墙敷设和地坪垫层内敷设;非直埋敷设包括管道井、吊顶内、装饰板后及地面架空层内敷设。此管道最适合于直埋敷设,一方面可以解决管道热膨胀问题,嵌墙或埋在建筑面层下的管道,可利用其摩擦力,缓解管道因温差引起的膨胀力,另一方面有利于防火、隔热。

管道用于管井、吊顶内等非直埋敷设时,应进行管道变形计算,采取适当的管道伸缩补偿措施。

4.3 管道变形计算

4.3.2 本条是计算管道伸缩长度的通用公式,设计中应根据计算,合理设置自由臂或补偿器。

4.4 管道水力计算

4.4.2 管道水力计算公式及参数选用,在现行国家标准《建筑给水排水设计规范》GB 50015 及《建筑给水塑料管道工程技术规程》CJJ/T 98 中有明确规定,本规程不再赘述。

5 施 工

5.1 一 般 规 定

5.1.2 熔接机具的质量直接决定了管道热熔承插连接的质量,故应由管道生产厂家提供配套或予以确认的机具,并应附有使用说明书。

因热熔承插连接、电熔连接在操作时和其他连接方法不同,对管道的加热时间、加热温度、熔接深度都有一定的技术要求,在管道安装前需对操作人员进行技术培训,掌握必要的操作要点,保证施工质量。

5.1.4 本条强调对安装过程中暂时不施工的管道敞口处,应及时采取措施将其封堵,以免异物掉入管道内使管道堵塞,造成浪费或工程质量事故。

5.1.5 塑料材料有低温脆性的特点,所以在冬期施工与贮运时,应注意保护管材,避免受外力冲击而造成损伤。

5.2 贮存与运输

5.2.1 管材、管件在装卸及运输时的抛、摔、滚、拖,易对管材、管件造成损伤,影响工程质量,故作此规定。

5.3 管道安装

5.3.4 施工环境温度低时,热熔管道加热时间应稍长,以达到熔合要求。插入时用力要适度,插入深度要达到规定要求,插入太深会造成管道缩径,导致过水断面减小,插入太浅会造成接口搭接太少,接口强度降低。

第 6 款规定了管道连接时使用热熔机具的操作要点,并要求管件和管材应同时插至模头底部。

同时规定热熔达到加热时间后,应立即把管材与管件从加热模头上同时取下,迅速将管材无旋转地沿直线方向承插至管件内。承插连接时应均匀推进,以防止管端外翻而造成缩径。

5.4 水压试验

5.4.1、5.4.2 对于塑料管道系统,其试验压力非常重要,应预留相当大的余地,以保证系统的可靠性。

5.6 卫生安全

5.6.1～5.6.4 卫生安全对于生活给水系统是非常重要的控制内容,施工中应按国家现行标准的要求进行冲洗、消毒,且应经卫生监督管理部门验收认可。

6 检验与验收

6.1 检 验

6.1.1 为保证工程质量,应对进场的管材、管件进行抽样检验,满足了管材、管件的物理力学等性能的要求,才能达到控制质量的目的。

6.2 验 收

6.2.4、6.2.5 条文规定了验收的重点部位,对保证工程质量具有重要意义。